Un grand Sprouitch
à Odile Josselin, pour sa confiance et sa patience,
à Pierre-Olivier et Aurélie, qui m'ont ouvert leurs classes,
à tous les Béziat, mes très chers premiers lecteurs.

ISBN 978-2-211-30357-6

© 2019, *l'école des loisirs*, Paris, pour la présente édition
dans la collection «Kilimax»
© 2018, *l'école des loisirs*, Paris

Loi 49 956 du 16 juillet 1949,
sur les publications destinées à la jeunesse: août 2018
Dépôt légal: novembre 2019

Mise en pages: *Architexte*, Bruxelles
Photogravure: *Media Process*, Bruxelles
Imprimé en France par *Pollina*, Luçon - 90429

Édition spéciale non commercialisée en librairie

Julien Béziat

La nuit
de Berk

Pastel
l'école des loisirs

L'autre jour, un truc terrible est arrivé à l'école.
C'est Berk, mon canard, qui me l'a raconté.

Je ne sais pas comment j'ai fait, mais j'ai oublié Berk
dans la caisse à doudous.

«Tu le retrouveras demain. Il ne peut rien lui arriver»,
m'ont dit mes parents le soir, pour me rassurer.

La nuit est tombée sur l'école.

Un croco-sac-à-dos avait été oublié lui aussi.
« On va pas rester là, Croc !
Allez viens, on va se balader », a proposé Berk.

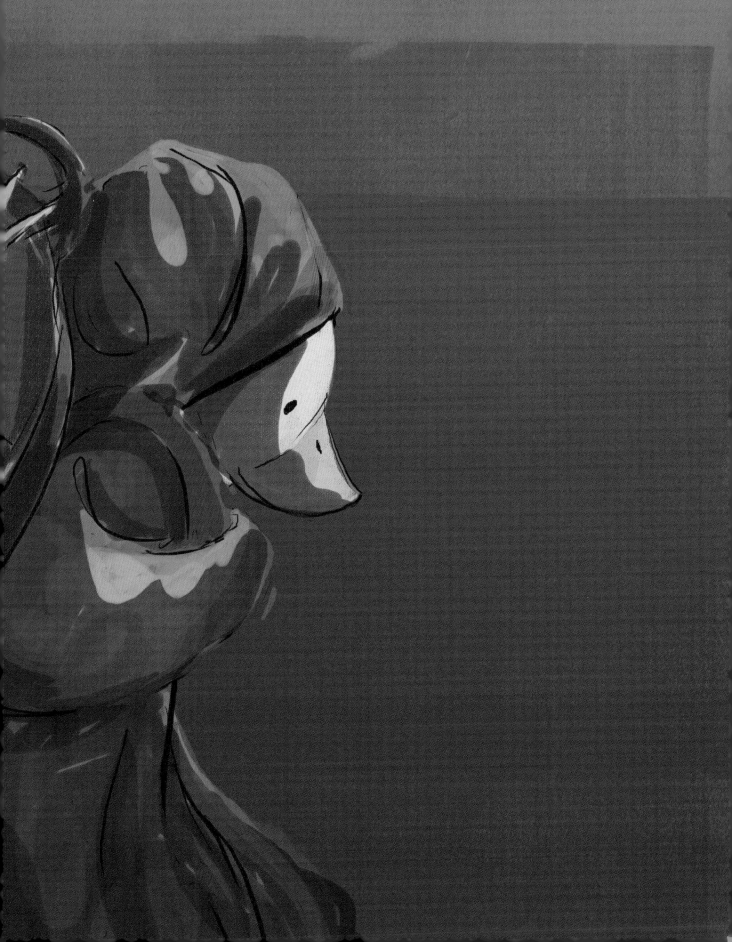

Ils ont ouvert la porte de la classe.
«Hou, hou, il y a quelqu'un ?» a fait Berk.

Croc a bredouillé :
«Tu… tu crois vraiment qu'il peut y avoir quelqu'un ?»

Berk a voulu allumer la lampe
sur le bureau de la maîtresse.

Mais il a glissé et…
BADABOUM ! BLANG ! SPLOUTCH !

«Ouf! Pas de mal, a dit Croc, mais beuuurk,
j'ai atterri dans la poubelle. Et toi, ça va?»

«Oui, a répondu Berk, je suis tombé dans un truc mou.
On va prendre la lampe, elle marche encore.»

En avançant, Croc et Berk
ont alors entendu quelque chose de bizarre…

SPROUITCH SPROUITCH SPROUITCH !

Croc a bégayé : «Qu'… qu'est-ce que c'est que… que ça?»

«On dirait un bruit de grosses pattes qui écrabouillent!»
a dit Berk.

SPROUITCH !
SPROUITCH !

Berk a chuchoté : « On dirait plutôt
des ogres qui mâchouillent, ou des sorcières
qui bidouillent. »

Puis Berk a levé la tête : «Oh…
Regarde, Croc ! On dirait…»

«Arrête, j'ai la trouille !» a fait Croc
en s'agrippant au fil de la lampe.

CLAC !

La lumière s'est alors éteinte d'un coup.

SPROUITCH !

SPROUITCH !

Croc a crié : « Sors-nous de là, Berk !
On va être écrabouillés, mâchouillés
et bidouillés ! »

SPROUITCH SPROUITCH !
SPROUITCH !

« Plus vite ! Le bruit accélère ! »

SPROUITCH SPROUITCH !
SPROUITCH SPROUITCH !
SPROUITCH !

CLIC !

Berk a trouvé la lumière…

Mais qu'est-ce que c'est
ce truc vert ?

Berk a alors regardé ses pieds.

Il en a levé un (SPROUITCH), puis l'autre (SPROUITCH).

«On dirait qu'on a fait de la patouille...»
a dit Croc.

Le lendemain matin, j'ai trouvé Berk avec Croc.

Ils étaient pleins de peinture verte mais, heureusement,
il n'y avait plus de taches dans la classe :
ils avaient passé le reste de la nuit à tout nettoyer !

Enfin, presque tout,
parce qu'au moment où la maîtresse s'est assise
sur sa chaise, ça a fait…

SPROUITCH !

Pour aller plus loin avec ce livre,
flashez ce code

ou rendez-vous sur
http://edmax.fr/40151

Vous y trouverez :

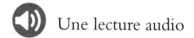 Une lecture audio   Une vidéo